FRA
JP
DUH

DATE DUE

D1472174

à Héloïse

tu naissais et déjà
l'avion nous ramenait
à la maison

Les Éditions des Plaines remercient le Conseil des Arts du Canada et le Conseil des Arts du Manitoba du soutien accordé dans le cadre des subventions globales aux éditeurs et reconnaissent l'aide financière du Ministère du Patrimoine canadien (PADIÉ et PICLO) et du Ministère de la Culture, du Patrimoine et du Tourisme, de la province du Manitoba, pour ses activités d'édition.

Textes : André Duhaime
Illustrations : Francine Couture
Conception graphique : Francine Couture

Données de catalogue avant publication (Canada)

Duhaime, André, 1948-
Châteaux d'été / textes, André Duhaime; images, Francine Couture.

  Poèmes.
  ISBN 2-921353-93-8

  I. Couture, Francine, 1959- II. Titre.
  PS8557.U383C43 2003   jC841'.54   C2003-910113-4
  PZ23.D83Ch 2003

Dépôt légal : 1er trimestre 2003
Bibliothèque nationale du Canada et Bibliothèque provinciale du Manitoba

châteaux d'été

Textes : André Duhaime ❤ Illustrations : Francine Couture

quel est cet oiseau
qui gazouille au soleil
et me réveille si tôt

les pelouses couvertes
de milliers de pissenlits
un autre bouquet

nuit de la Saint-Jean
avec le feu d'artifice
voilà les vacances

promenade à bicyclette
maintenant le siège de bébé
est pour les toutous

l'écureuil enfui
elle décide de photographier
le parterre en fleurs

grands bols de la maison
vous semblez si petits
dans ce champ de fraises

le rouge des fraises
tache les doigts et la bouche
des jeunes cueilleurs

à la queue leu leu
la famille part en pique-nique
le jardin au soleil

après tant d'heures
pour nous rendre à la mer
courir sur le sable

là-bas un gros homme
fait un château de sable
avec une pelle à neige

à l'heure de souper
un viellard et les oiseaux
restent sur la plage

au lit les enfants
examinent les coquillages
ramassés aujourd'hui

borne-fontaine
pourquoi gardes-tu ton eau
ce jour est si chaud

père et enfants
vont ensemble sous l'averse
un seul parapluie

et puis à quoi bon
après un clin d'œil rieur
courir sous les gouttes

lancé dans la flaque
un caillou fait se balancer
les nuages blancs

déjà la fin d'août
en vêtements plus chauds
jouer avec l'écho

dernier signe de l'été
l'odeur du feu de camp
et des guimauves

Albums dans la même série

le soleil curieux du printemps
châteaux d'été
automne! automne!
bouquets d'hiver

Achevé d'imprimer chez AGMV Marquis (Montmagny)
en mars de l'an deux mille trois